W9-AWN-321

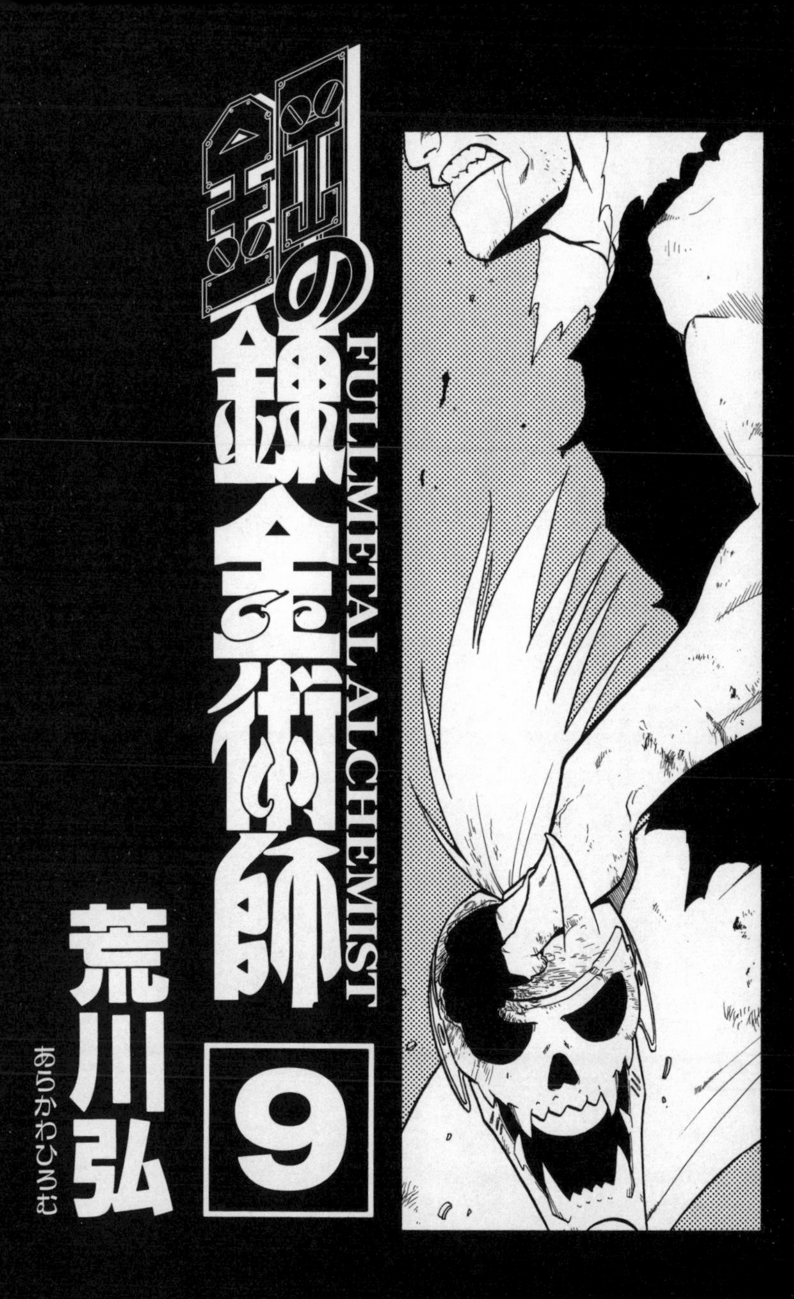
鋼の錬金術師
FULLMETAL ALCHEMIST
9
荒川弘
あらかわひろむ

FULLMETAL ALCHEMIST CHARACTER

アルフォンス・エルリック
Alphonse Elric

エドワード・エルリック
Edward Elric

アレックス・ルイ・アームストロング
Alex Louis Armstrong

ロイ・マスタング
Roy Mustang

OUTLINE
FULLMETAL ALCHEMIST

エドワードとアルフォンスの兄弟は、
幼き日に喪った母を錬金術により蘇らせようと試みる。
しかし、錬成は失敗しエドワードは
左足と弟のアルフォンスを失ってしまう。
なんとか自分の右腕を代償にアルフォンスの魂を錬成し、
鎧に定着させる事に成功するが
その代償はあまりにも高すぎた。
そして兄弟はすべてを取り戻す事を誓うのだった…。

ウィンリィ・ロックベル

Winry Rockbell

マリア・ロス

Maria Ross

グラトニー

Gluttony

ラスト

Lust

66

66

エンヴィー

Envy

CONTENTS

もじ
……
オレが
壊しちまった面
返せって
言ったから
ん？
プル
プル
プル
あまりの
出来の良さに
感動してんのか？
バキ
ぐわ
どーーして
兄さんのセンスだと
こうなるかなぁ…
ATELIER
Garfiel

第34話
戦友の足跡

FULLMETAL
ALCHEMIST

ランファン！
ぽ
ぽ
す
!?
アルフォンスが
作ってくれたゾ
よかったナ
上手い
ものネ！
こっ…
こんな事
されたからってッ…
ちゃんと
お礼
言いなさいネ

……あ……
アリガト……
ございましタ……
うん
うん
どういたしまして
納得いかん
ドッ
ドッ
ドッ
ゴトン
ゴトン
ゴトン
…たくよー
こちとら
先を急いでんのによぉ

おめーらのせいで
直るまでに
えらい時間
くっちまったぞ
ガッ
ミシャ
ゴトトン
ガタタン
エドが
壊さなければ
済んだ事
でしょ!
だいたい
あの黒装束の
せいだ!
機械鎧の
請求書
叩きつけて
やる!!
ははは
あの二人には
よく言っとくから
勘弁してヨ
娘の方は
ランファン
じいの方が
フー
家に
代々仕える
一族サ
よろしくナ

そういえば二人の姿が見えないけど…
付き人が二人もいるなんてもしかしてリンって結構いい家の坊っちゃん？
は!!
男のくせしてお付きがいなくちゃ怖くて旅もできねーか
そうだねェ子供の一人旅だと色々危ないカラ
子供？
俺？
君いくつ？
15歳だヨ
ごっ……!?

…エドはもうすぐ16歳よね
ひそ
スタンダップ!!
ピッ
?
……………

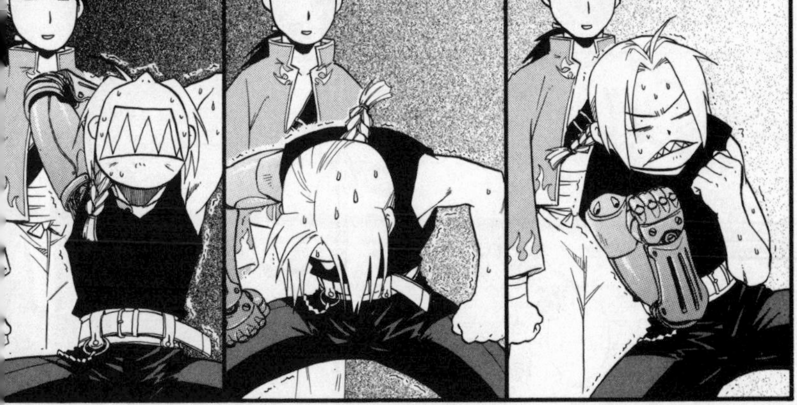

・・・・・・・・フケ顔!!!
逃げた……
逃げた…!!
な………
リン様の悪口言ッタ……
ははは
あ………
ランファン…

上に乗ってんの!?
ちょっ…大丈夫!?
つーか無賃乗車だろうが!! 車掌さーん!!
ははははあの二人がそう簡単に捕まると思ってるのかイ?

HOTEL
キッ

ゴン
ゴン
おい
ファルマン
ゴン
俺だ
ハボックだ
見舞いに来たぜ～
ハボック少尉！
よお！
大佐に様子見てこいって言われてよ
すみませんね
この近くを通る用事があったからついでにだ
気にすんな
これ大佐から見舞いの品
ああ
どうも
どうだ
調子は
芳しくありませんね
早く仕事に戻りたいですよ

よーう タバコの あんちゃん
毎度 どーも
どうだ バリー 一回でも 勝てたか？
ダメだぁ ぜんぜん 勝てねぇよ
せっかく マスタングとか いう奴が 遊び道具を持って 来てくれたけど 退屈で しょーがねぇ
なぁ 夜中なら 人を斬って来て いいだろ？
ふざけんな 馬鹿野郎
その 大佐の方は あれから どうです？
さぁな

さぁなって…
書類と格闘してるみたいだけど俺は手出しできねーからわかんねーや
ふー……
もわー
おー おもしれえ
なにすんでい あんちゃん
実際私はいつまでここにいればいいんですか
もう10日も籠りっぱなしでどうにかなりそうですよ
せめて先行き明るい話でもあれば耐えられるんですけどね
先行き明るい話か……
………言い忘れてたが
ひとつあるぜ！
!!

俺に彼女ができた!!!
こっちに引っ越して来て色々困ってた時にやさしくしてくれてさぁ♡
もーめっちゃいい女!!
なぁその女斬ったら楽しそうか!?
なぁなぁ!!
……もう帰ってください…
シェスカ…
シェスカ!
はい!
あなた3番書庫で作業してたわよね
カギ持ってる?

はい…
あ!!
3番は…
えっと…
あの…
私が使ったまま
散らかしっぱなし
でして…
いいわよ
必要な書類を
取るだけだから
カギかして
いえっ!!
ほんとに
この世のものとは
思えない位
散乱してますので!!
片付けるまで
待ってください!!
後にしてください!!
?
しょうがないわね
後で取りに
来るから
それまでに
片付けといてよ
ははは
はい!!!
ふー……
あのぉ……
ギィーー

……大佐…！
マスタング大佐!!
む…
私は何分位寝ていた？
ええと10分位かと…

あの……余計なお世話かもしれませんが無理しないでお休みになられては……
うむ…
いかん軍議まで時間が無いな
また来るよ
ふぁ～
はぁ…
……
ゴキ
今のマスタング大佐？

おはよう
シェスカ
おっ…
おはよう
ございます
フォッカー大尉
なんで大佐が
ここにいるんだ？
あ
あの
その
…書庫が
開いてる
はわー
関係者以外に
開放しては
だめじゃないか
すみません
すみません
すみません
ク…クビ
でしょうか
どうせ
大佐にゴリ押し
されたんだろ？
黙っておいて
あげるよ

ありがとうございますぅ
何を調べに来たんだろうね
だぁ
シェスカは知ってるかい
私も詳しくは知らないんですけど…
中央刑務所の死刑者リスト
軍上層部で起こった過去の事件例と…
国家錬金術師の事件例を調べているようです
あとは第五研究所に関する書類は無いかと訊かれました
それとヒューズ准将の事件………

あまりにも必死な様子でしたのでその……
書庫を……
ふうん…
あの…
ヒューズ准将の殺害には軍支給の拳銃と同じ口径の弾が使われていたんですよね
中央の軍人の中に犯人がいるんでしょうか
あんなに思いやりのある人がどうして…
怖い……
大丈夫だよ
君にはなんの関係も無い
さぁ今日も仕事が山積みだ
よろしくたのむよ
はいっ

………
カッ
カッ
コッ
…おっと!
コツ
コツ
カッ
コッ
おはよう
シェスカ
カッ
はい?

え？
あれ？
…おはようございます…
？

TOILET
MEN
ジャー
ジャ
ジャ

ザ

ガタン
どうも
ギッ
ああ
少し
お痩せに
なったのでは？
ああ
ケガ
したのか
南で少し
戦りましてな
なに
かすり傷です
ジャ

ジャ
ジャ
そうそう
エルリック兄弟に
会いましたぞ
南方司令部に
査定に来て
おりました
そうか
まだまだ
軍の狗を
やる気だな
鋼のも
もうじき
16だったか
元の身体に
戻るのが先か
人間兵器として
戦場に
駆り出されるのが
先か——
……
あのような

なぜですか!!
なぜ
こんな戦いを
続けねば
ならんのですか!!!
それが
国家錬金術師の
仕事だからです

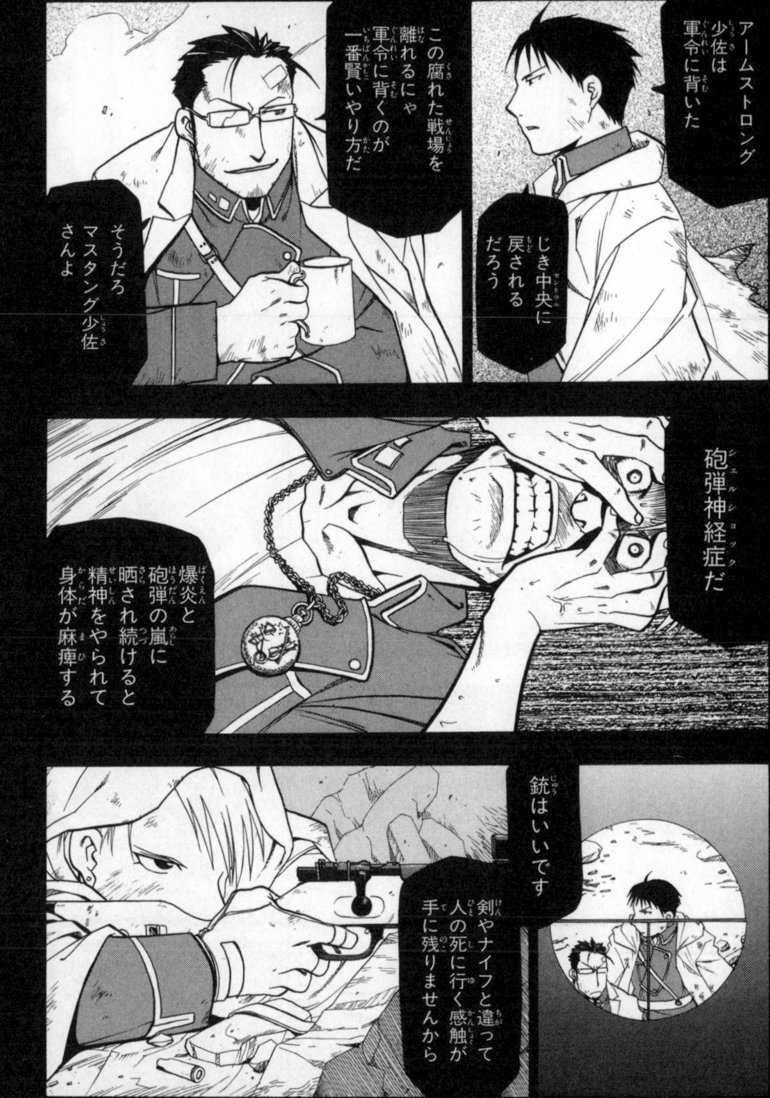
アームストロング少佐は軍令に背いた
じき中央に戻されるだろう
この腐れた戦場を離れるにゃ軍令に背くのが一番賢いやり方だ
そうだろマスタング少佐さんよ
砲弾神経症だ
爆炎と砲弾の嵐に晒され続けると精神をやられて身体が麻痺する
銃はいいです
剣やナイフと違って人の死に行く感触が手に残りませんから

――あのような場所に少年を放り込むと言うのですか
鋼の錬金術師は人間兵器として使われるかもしれないリスクを覚悟してこの世界に飛び込んで来ている
ジャー…
大人も子供も例外は認められない
キュッ
建前ですな
誰もそんな世界は望んでおりません
軍人でありながら君はこの軍事国家を否定するのか
否定はしません
ただ我輩のこの力はこの国の弱き人民を守る力でありたいのです

あの内乱を経て
この国は
変わらねば
ならぬところへ
来ているのでは
ないのでしょうか
そして
それができるのは
戦場の痛みを知り
かつ
冷静に上を
目指せる人物です
マスタング大佐
なんの話だね
……少し
喋りすぎましたな
お先に
少佐

兄弟にヒューズの死は知らせたのか？
……いえ
言い出せませんでした
いつかは知らされる事だぞ

第五研究所と
賢者の石
石の材料は
生きた人間
！
世話好きな
あいつの性格だ
エルリック兄弟が
調べていた事に
首を突っ込んで
知らなくても
いい事を
知ってしまった…
ちがうか？
自分達に関わりを
持ったせいで
ヒューズが
死んだと知れば
兄弟が傷つく…か
人が良いな
君は
…ずいぶん
お調べに
なりましたな
もう
ひと息だ

気を付けてください
どこで誰が聴いているかもわかりませんので
ああ
ギャアギャア
マスタング大佐がヒューズの事を嗅ぎまわってる?
最近になってから急に動き出したみたいだよ
何か決定的な情報をつかんだのかしら?

けっこう近いところまで知ってそうだよ
どうする？
監視するなら目の届く所にと思って中央に移したけど失敗だったかしら…
？
ああいう手合いは扱いに困るわ
大人しくしててくれないかしらね
そっちの情報網からは何も聞き出せてないの？
ぜんぜん
…大事な人柱候補なんだから

天然なのか
やり手なのか…
ガーッ
ガーッ
いまいち
つかみどころが
無いわね
今日あたり
また
情報収集
してみるわ
行くわよ
グラトニー
こら
グラトニー！
散らかして
行くなよ
もー
ねえ
ラスト
焔の大佐が
大人しくしてれば
いいんだよね

その情報網の他にもうひとつ手を打っとく気ない？
…何かあるの？
うるさい狗にはエサを与えてあげなくちゃ

マリア・ロス少尉
憲兵司令部のヘンリ・ダグラスだ
は……私に何か
我々と一緒に来てもらおう
銃を
ざわ…
マリア…!!

どういう事か
説明していただけますか
マース・ヒューズ
殺害事件の
重要参考人として
君の名が
挙がっている
そんな
馬鹿なっ…
弁解は
あとで聞く

来たまえ
抵抗するなよ
おばちゃん
この花包んでくれ
リボンつけて
MEAT
BAN
STOP
あらま
デートかい
この色男
うぇへへへ
一本
おまけしといて
やるよ!

FISH
…っと
ソラリス！

遅れてごめん

待った？
いいえ 今来たところ
会いたかったわ ジャン

CENTRAL
EAST GATE
WEST GATE
また
おもしろい話を
聞かせてね

FULLMETAL
ALCHEMIST

第35話
生贄の羊

WEST GATE
WELCOME TO CENTRAL CITY
さて!
先に軍部に顔出してくるか
ヒューズ中佐って軍法会議所だよな?
うん
…あれから賢者の石の情報集めしてくれてるかな
うーん…どうかなぁ
大総統に釘を刺されてるし
何?なんの話?
男同士の話!

も――
いつも
それだし!
おイ!
若はどこダ
貴様ら
ずっと
一緒だった
はずだゾ
鎧…
お面…
芸人…?
いない!!
また
行方不明
……
せーせー
した!
行くぞ!
はーい

おい…
大丈夫か？
メシ……
あーあ
行きだおれかよ
どこの者だ？
何？
シンから来た？
入国証は？
だらだらだらだら
はいはい
どいた
どいたー
不法入国者のお通りだよー
あらまあ
ズルズル
ズル
タスケテー

あれー？
ホークアイ中尉がいる！
あら！
エドワード君アルフォンス君元気だった？
うん相変わらずだよ
あ!!
あの時のお姉さん!!
あなたたしかリゼンブールの…
!
はい！ウィンリィです

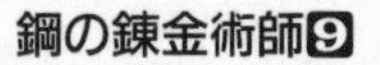

すっかりきれいになって！
リザさんは髪をのばしたんですね
仲良しさん？
いつのまに
…待て！
中尉がいるって事は…
ギッ
やあ鋼の
ガチャ
あれ 大佐こんにちは

なんだね その嫌そうな顔は
やっ これはかわいいお嬢さんだ
私はロイ・マスタング
地位は大佐だ
何？一度会っている？
ああ あの時の
かわいらしい方
おどろいた
あまりにも美しく
成長しているから
気がつかなかった
世の男共が放っては
おかんだろうね 何か困った事があったら
いつでも相談にのるよ
ははははは
なんで大佐がここにいるんだよ!!

先日
中央勤務に
なったのでな
今日は
どうした
ああ
情報収集に
来たんだ
賢者の石と
人造人間について
調べてたんだけどさ
人造人間？
無茶を
言うな
「人を作るべからず」と
命令している軍から
そんな情報が
ホイホイ出るものか
そりゃ
そーか
あ
そうだ
もうひとつ
ヒューズ中佐に
あいさつしに
行こうと
思ってんだ
中佐
元気？

――いない
は？

…………
…田舎に引っ込んだよ
近頃中央も物騒なんでな
夫人と子供を連れて田舎に帰った
家業を継ぐそうだ
もう中央にはいない
そっか…残念だなぁ
軍人てあぶない仕事だもんね
会いたかったのになー

賢者の石と人造人間だったな
何か情報があったら連絡しよう
行くぞ中尉
はい
鋼の
先走って無茶な事はするなよ
？
ああ 程々にしとくよ
こんな時だけ子供扱いですか
カッ コッ カッ コッ
今は知る必要が無い
あの兄弟にとって前進するのに邪魔なものはなるべく少ない方がいい
コッ カッ コッ カッ コッ

コツ…
………なんてな
…私もアームストロング少佐の事をお人好しとは言っていられんな
その少佐の部下ですが
うん？

ヒューズ准将殺害の重要参考人として聴取を受けている者がいます
本当か!?
マリア・ロス少尉
本人は犯行を否定していますが
…………
ロス少尉に関する資料を集めろ
どこまでですか?
洗いざらいだ
急げ
だが極秘にだぞ
はい

会話は全て記録しますので
うむ

どういう事か説明してくれるか
ヒューズ准将殺害に使用された弾は軍支給のものと同じ45口径
使用弾数は一発
私が普段使用している銃も同口径
そして最近私が補充した弾数も一発分
何に使った？
…第五研究所でエルリック兄弟の護衛時に……

あそこは閉鎖区域で誰も入れず誰もいなかった事になっているのです
そこで私が使用した弾丸も今やガレキの下で確認は不可能
………
……〝使途不明の弾〟という訳か
それと当日殺害時刻に現場から立ち去る私の姿が目撃されているそうです
いたのか？
いいえ当日その時間は両親の家にいました
家族および親しい間柄の証言はアリバイとして認められませんから
言い逃れできぬ状況か……

アームストロング
少佐！
ブロッシュ軍曹！
少佐も
来ていらしたの
ですか
ロス少尉の
所か？
はい
使途不明と
されている
弾の事で
第五研究所で
エルリック兄弟の
護衛のために
私も少尉と共に
一発撃って
いるのです
何？
その事で
ロス少尉の
弁護に
来たのですが…
門前払いに
近い扱いを
されまして

む…
奇妙です
まるでロス少尉を犯人と断定しているかのようです
最初から少尉を犯人に仕立て上げる気だったか…？
あるいは…
新聞でーす
カタン
来た来た毎日のお楽しみ
うへぇ大の男の一日の楽しみが新聞かよ
お
やかましい！
こんなに引き込もりが続くと新聞位しか娯楽が無いんだよ！

…ったく
誰のせいだと………
ファルマン准尉です
外からかけてます
マスタング大佐へ
つないでください
ンだよ
騒がしいな
そうです
コードは…
あン？
…おーーう
こいつは
あの時の…
Central Times

大佐!
ヒューズ准将殺害の件ですが…
よう
ファルマン
ちょいと電話貸しな
何?
いいから貸しな
いい話があんだよ

HOTEL
HOTE
賢者の石…
ウロボロスの印を持つ人造人間グリード

人造人間(ホムンクルス)…
人体錬成(じんたいれんせい)…
どうやって…
「人(ひと)を造(つく)るべからず」か……
………
ガチャガチャ
兄(にい)さん!!
ガシャガシャ
兄(にい)さ…
びっくりさせんなよな〜〜〜
フロントで…新聞(しんぶん)が…これ…
Times

?
ガサ
なんだよ
Central Times
Times
なんっ…
だ……
こりゃあ…
マリア・ロス少尉を
先月のマース・ヒューズ准将殺害事件の犯人と断定!!
igadier killer
2LT. Maria Ross to be killer
der case of
Maes Hughes

カタ
バタ!
どうしたの
アル
ウィンリィ!!
ウィンリィ
……
悪い!!
確認してから
説明する!
え?
何を?
行くぞ
アル
うっ…
うん
ちょっと!!
バタ
バタ
何が
あったのよ
――っ!!
バタ
バタ

じゃ
やだなぁ
コレ
LING YAO
W1582
らん
文句言うな
犬っころの
首輪みたいな
もんだ
うぇ
で？
リン・ヤオ
こんなにメシ食いやがって
どこから来た？
シンカラ
年は？
15歳だヨ
うそつけ!!
何人で来た？
ルートは？
目的は？
洗いざらい…
本当だヨ
ガシャーン
うわ
野郎!!

!?
なんだ?
うわああああ
パーン
バタ!
ギャッ
どうした!?
変な…鎧を着た侵入者がっ!!
手を貸してください!!
ガガガ!ギン
鎧イ!?
ヌルい ヌルい ヌルい
ガガガ
ギン
ギンギン

やる気あんのか
おめエら!!
ゲラ
ゲラ
ゲラ
なんだありゃあ!!
銃が効かないぞ!!
どけ!!
頭吹き飛ばしてやる
ガシャ
ぶいおっ!?

がしっ
おっと…
残念!!
ぎゃあああああああ
カーン
くそ…
斬っちゃいけねエってのは難しいな
ごかん

早ェとこ用事済ませて……
もしも〜シ
出しテ♡
あン？なんだおめェ
シンからの密入国者でス
あーそー遠い国からごくろーさん
おめェにかまってるヒマは無ェよ
なんだなんだ
そこをなんとカ！このままだと強制送還されちゃうヨ！
知るかじゃあな
出してくれたら手伝うよォ

……おめェどこの国の者って言った？
東のシンの者だヨ
バギン
一緒に来な！急げ！
お～～ありがト
CONFISCATION
んー～ト…
ガッ

あった
あッタ！
ひょっ
！
おーう！
いい業物じゃねえか
俺のだヨ
うるせえ
早く来い
ドカ
ドカ
ドン
パパン
何？
ガシャ
ガシャン
!?
ぐえっ
ガシャーン

ガシャーン
ハロ〜〜〜ハニ〜〜〜
やっとみつけたぜェ
!!
第五研究所にいた…
ベギョッ
覚えててくれてうれしいねェ〜〜〜〜♡
ぬうううう

オレはおめェさんに撃たれた右手の穴を見るたびに思い出してたんだぜ〜
なぁ
ヒューズ殺しのマリア・ロスさんよォ
それは誤解よ!!
だろうなぁ
会って確信したぜ
おめェさん人殺しの目をしてねぇ
そうよ! ちゃんと調査すれば…
ばっ
!?
犯人断定!? 私!?
ちょっと待ってよ! まだ何も………
これが奴らのやり口だ

おめェさん
このままだと
罪を着せられて
有無を言わさず
銃殺刑だぜ
ゲラ
ゲラ
明日の朝日を
拝めるかも
あやしい
もんだなぁ!
ゲラ
ゲラ
ゲラ
そんな…
こんな事が…
選びな!!
ぶ
ん!!
このまま
奴らに
なぶり殺しに
されるか!!
逃げるか!!
ふたつに
ひとつだ!!
……最悪にして
人生最大の
二択だわ
考える
ヒマを……
そんなヒマ
無いヨ

増援部隊が来ちゃったしネ

…だそうだ
今すぐ選ばねえと
今ここでオレがおめェをぶった斬る

選択の余地無いじゃないのよ!!

ああ もう!!
お父さん お母さん ごめんなさい!!

逃げるわよ!
逃げりゃいいんでしょ!
ちゃんとエスコートしなさいよ このバカ骨鎧!!

お!? 威勢がいいねェ!!

女は度胸!!

ばしっ

げはははは
いいぞ ねェちゃん!!
斬りたい位いい女だア!!

はい
はい
そのように
チン
全市に通達
西区留置所から
マリア・ロスが逃亡
凶悪な
同伴者が
いる模様
ただちに
捕らえよ
抵抗すれば
射殺して良し
射殺して良し

中尉
はい
少し出て来る
留守をたのむ
はぁ はぁ
はぁ
ちょっ…どこまで逃げるの!?
いいから走れ!!
ひー はー ひー
急げ!!
!!?

ロス少尉!!
あ…
うェ!?
エドワード君にアルフォンス君!?
あー!!あの時の!!
え!?知り合い!?
リンまで!?
いやァ♡
なんでここにいるんだ!!
そりゃあこっちのセリフだァ!!
え?
え?
え?
ええいジャマすんな!!
うわぁ!!

ロス少尉!!
どういう事だよ!!
ヒューズ中佐を…
あぶないなもー
かまうなねェちゃん!!
そこの裏道から一直線に倉庫街に逃げな!!
あそこの暗闇なら逃げきれる!!
急げ!!
憲兵が来たら射殺されるぞ!!
〜〜〜っ…
エドワード君ごめんなさい!!
あとで説明するわ!!
ダッ
あ!

待って…
おわ!!
ヅバンッ
来んじゃねェ!!
あちょー!!
おめェらにかまってるヒマ無ェんだよ!!
ブン
ブン
ブン
…っの!!
ロス少尉──っっ!!
少尉!!
う……

…はっ
いでで…
あの野郎
電話貸せってこれかよ
ゴトン
くそ！
コブになった！
ジャッ
ジャッ
ジャ
ジリ
はい
あ
ホークアイ中尉！
ファルマン准尉？
申し訳ありません
目標に逃げられました!!
大佐は…
大佐は私用で出ているわ

――すぐには
戻らない
マリア・ロス
だな

!!
ゴオォォオオオ
うエ!?

くそっ…
あ
このっ
おっと!
おめェらと
戦りあってる
ヒマは無ェって
言ってんだろが!!
行くぞ
糸目の!
ほいほイ
あ!!
リン!
なんで
そんな奴と
一緒に
いるんだ!!

…ああもう!!
ダダッ
はっ
はっ
は
はっ
は
はっ
はっ
は
はっ
はっ
は

やあ
鋼の
…う…
バチ
MARIA ROSS
……どういう事だ……

どういう事だ!!
説明しろ——ッ!!!

第36話
苦渋の錬金術師

――いつだ
どうして
ヒューズ中佐は
殺されたんだ
どうして
ロス少尉が
……………
なんで
黙ってた!!!

FULLMETAL
ALCHEMIST

FULLMETAL
ALCHEMIST

もーー信じらんない!!
鍵も掛けないで飛び出して行くなんて
プンスカ
不用心にも程があるわ!!
明かりもつけっぱなし!!
ああもうこんなに散らかして
どうして男の子ってこう……
Central Times

Central

上官に手を上げるか
身の程をわきまえろ
ブッ
だめだ兄さん!!
はなせアル!!
だめだって!!
何があったのか知らないけど……
この野郎はロス少尉を!!

ロス少尉……!?
どういう事ですか大佐
ヒューズを殺したマリア・ロスが脱走し射殺命令が出ていた
それだけだ
それじゃあなんの説明にもなってない!!
ヒューズの死を隠していた事は謝ろう
なんだありゃ
うわ!!

くそっ
予定外だ
どうすル？
人が集まって来た
このまま
とんずらするしか
あるめェよ
行くぞ

あれが東方司令部から来た…
そうか
憲兵司令部のダグラスだ
どういう事か説明してくれマスタング大佐
抵抗すれば射殺して良しとの通達が出ていたはずだ
命令通り抵抗されたから殺したまでだ
点数稼ぎにしては張り切りすぎではないのか
点数？
中央の紳士は東の田舎者が出世するのがそんなに気にくわんのかね
やりすぎだと言っているのだ！
ちっ

あれでは
誰だか
わからんでは
ないか!
ヒューズ准将の死を
伝えなかったのは
本当に
すまなかった
賢者の石に
関わりすぎたから
殺された……
……オレの
せいだ
オレが
巻き込んだ

おぬしのせいではない!
思いつめてはいかん!
ウィンリィが
中佐に会えるの楽しみにしてたんだ
オレ
あいつになんて説明すればいい
ギッ
お揃いか?

このたびは
我輩の部下が
とんだ事を
君が謝る
事ではない
…ロス少尉が
殺人を犯すとは
思っておりません
でした
彼女は
正直者で
真面目で
思いやりのある…
思いやりの
………

ドスッ
少し疲れが溜まっているようだな少佐
休暇を取ったらどうかね
ん？

そうだな…
私がいた東部 あそこはいいぞ
都会の喧騒も無いし何より美人が多い
カッ
コッ
カッ
ガン
DUST

まったく
貴様と
いう奴は!!
勝手に
出歩いたら
どうなるか
わかってるのか!?
しゃーこ
しゃーこ
ここに帰って
来る時は
誰にも
見られてねェから
大丈夫だよ
そういう
問題じゃ
なくてだな!!
よう!
さっきから
何やってんでェ
のろしだヨ
のろし?
だいたい
見ず知らずの人間を
連れて来るなんて
何を考えてんだ!!

ザザザン
捜しましたぞ!!
おー
早かったな
なんのために
ここに
隠れてるのか…
カッ
若!!
また
増えたぞ
………
………!!
502
HOTEL
HOTE

ウィンリィ
ゴーン
ゴーン
ゴーン
ゴーン
ゴーン
ゴーン
……ウィンリィ？
ゴンゴーン
出掛けてるのか？
帰って来るの待とうか
ギ
ィ
あ
やべっ
オレ鍵掛けないで出てった

何も盗られてないよね？
……無い
え!?
新聞が無い……!!
馬鹿かオレは…!!
ドカッ
ウィンリィ……
MELON
GRAPE
BANANA
ORANGE
APPLE
OPEN

コーン
コーン
とた
とた
とた
とた
とた
とた
とた

パパ…
あ…

ひ
しっ
どうしたのエリシア
ぱた
ぱた
お客様……？
ウィンリィちゃん！
……グレイシアさん…
急に…すみません
Central

HOTEL
カラ
カラ
カラ
カラ
カラ
カラ
カラ
カラ
カラ
カラ
カラ
カラ
カラ
カラ
カラ
カラ
コンコン

ウィンリ…
わっ!!?
…い!?
エ……エルリック様
フロントにお電話が
どてぐしゃ
あでっ

ええそう
そちらに泊まってると聞いたので
ウィンリィちゃんすごく憔悴してるから迎えに来てあげて

メイフラワー通りの──
はい　はい　うちの連れがすみません
すぐ行きます
どこだって？
ヒューズさんちだって
ほら　この前中央駅で見送ってくれたろ　奥さんのグレイシアさん
どーも
TELEPHONE
行くの？
ああ　行ってきちんとありのままを話してくる
ボクも行く
ののしられるのはオレ一人で十分だよ
TELEPHONE

兄さん一人の問題じゃない
ボク達二人の問題だから
ボクも行かなきゃいけない
なぁアル もしも…
うん
ボクは他の人が犠牲になる位なら元の身体に戻らなくていい
どんな事があっても元の身体に戻るって決めたけど
ボクのせいで死んでしまう人がいるというなら

そんな身体(からだ)は
いらないよ

ウィンリィ
迎えに来たぞ
ん……
ごめん
いや
オレも…
ごめんな
?
グレイシアさんに話しておかなければならない事があるんで…
いいですか?
ウィンリィも一緒に聴いてくれる?

――そんな訳で
ボク達兄弟は
元の身体に
戻るために
賢者の石の
研究をしています
この前
兄さんが入院中に
ヒューズ中…准将が
色々と面倒を
みてくれて
石の事も
ついでに調べて
くれてたんです
軍法会議所の
資料を
ひもといて…
でもそれは
どうやら
軍の暗部に
つながる
極秘の……
一般人が
知ってはいけない
事だったんです
大総統自ら
「危険だ」と
制止に来る程の
………
主人は
何か
知ってしまった…
もしくは
これ以上首を
つっこむなと言う
犯人側の
警告ね？
おそらく

オレ達が…

オレ達が巻き込んだも同然です

すみません

すみません……!!

元の身体に
戻ろうとする事で
この先また
被害者が出るかも
しれないのなら
ボク達は
もう……
人助け
しようとして
死んだとしたら
あの人
らしいわね
昔っから
おせっかいの
世話焼きで
損して
ばっかりなのよ
あの人
でも
その損以上に
沢山の幸せが
あったわ

ここであなた達が
あきらめると
言うのなら
主人の死は全くの
無駄になります
賢者の石とやらが
ダメなら
他の方法が
あるかも
しれないじゃない
自分達の
納得する方法で
前へ進みなさい

HOTE

前へ進め…か
誰が敵か味方かも
わからぬ
この状況で
何人も
信用してはならん！
もっと大人を
信用してくれても
いいじゃない
……もう
何を信じて
進んでいいのか
わかんねーや

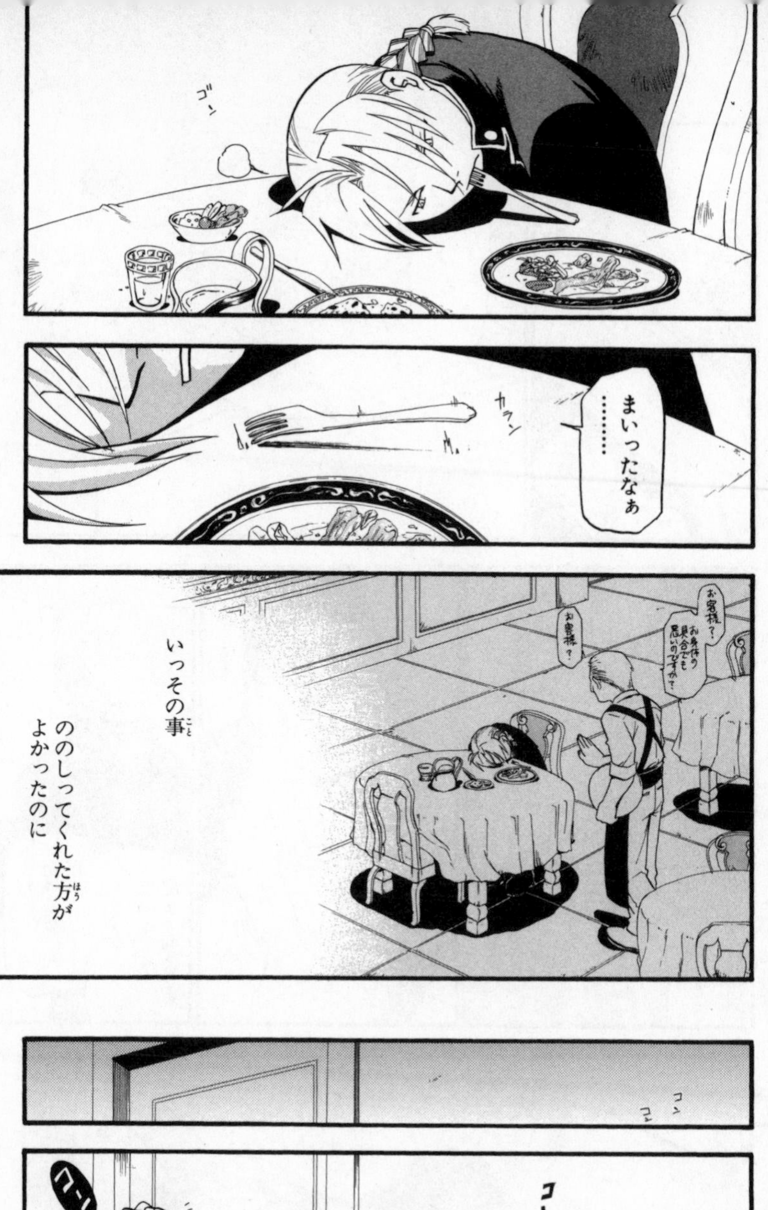
ゴン
カラン
まいったなぁ………
お客様？
お身体の具合でも悪いのですか？
お客様？
いっその事ののしってくれた方がよかったのに
コン
コン
コーン
コーン
503
ハーイ

コン コン
ウィンリィ
いるんだろ
ギ…
メシ
まだ食ってないんだろ
もうすぐ食堂閉まっちまうぞ
……うん
ちゃんと食っとかないと身体がもたないぞ
あ
待って
来て

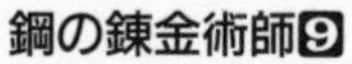

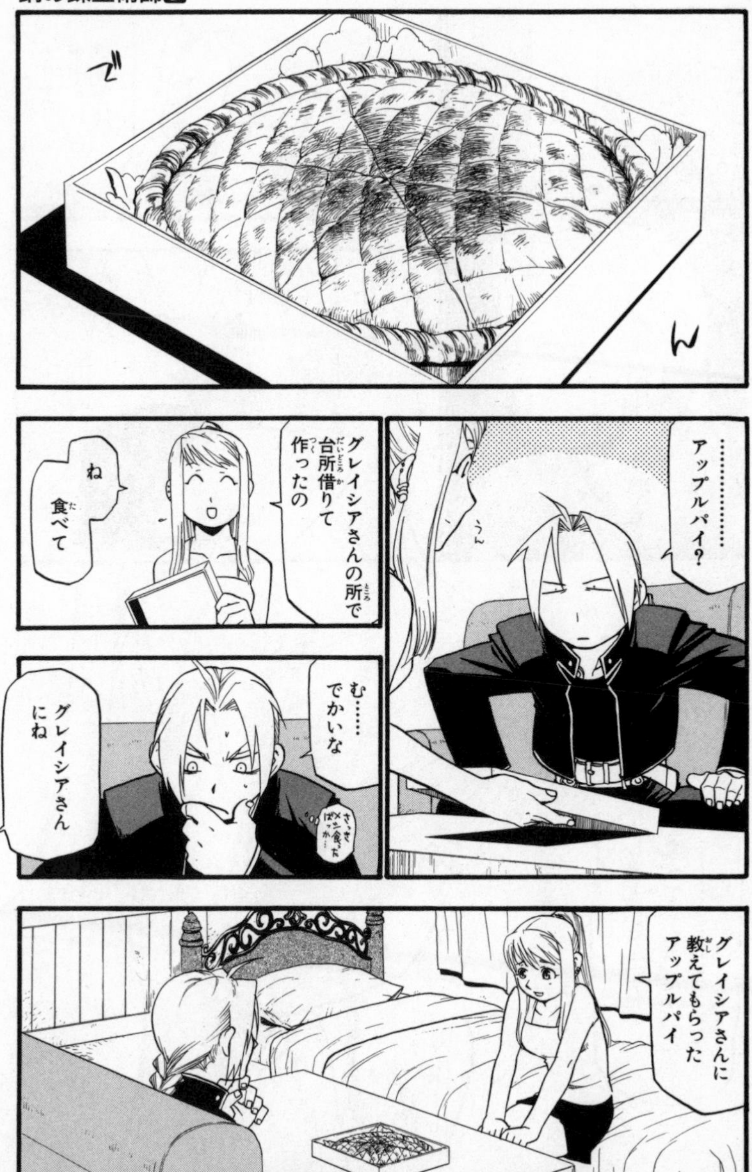

でん
……アップルパイ?
うん
グレイシアさんの所で台所借りて作ったの
ね 食べて
む……でかいな
さ、さっきメシ食ったばっか…
グレイシアさんにね
グレイシアさんに教えてもらったアップルパイ

あれから
何度か
練習したの
自分で言うのも
なんだけど
上手くなったのよ
いつか…
ヒューズさんにも
食べてもらいたかった
………………!!

がっ
美味(うま)いよ
……

めでたし
めでたし
という訳で
マスタング君は
みごと親友の敵を
討ちましたとさ
まさか
脱走された上に
ターゲット当人に
止めを
刺されるなんて
予定外だわ
めでたし―
詰めが
甘いんじゃないの?
いいじゃん
狗がエサを
食べちゃったってのも
オツで
収穫も
あったんだしさ
留置所襲撃犯
だってさ

あらあら……
第五研究所の崩壊に巻き込まれて死んだと思ってたわ
そう…こいつが焔の大佐と接触した可能性ありね
どこに逃げ込んだかわかってるの？
いや生前と一緒で逃げ足は速いわ隠れるのが上手だわ…
要するにわからないんでしょ無能ね
うるさいなおばはんは！人手が足りないんだよ
カツ
人手はこれひとつで十分よ
ギィィィ
イイイイ

ギャア
ギャア
ギャッ
カッ
カッ
カッ
さぁ出番よ
出なさい
バリー・ザ・チョッパー

FULLMETAL
ALCHEMIST

だからよォ！
オレをこんな身体にした研究者はもう死んじまってるから不老不死とかそういうのはわかんねーんだよ
そりゃ無いでしょ
おーい
交換条件だヨ！留置所で手伝っただロ！
それはおめェを脱走させてやった事でチャラだ
おーい
そっちじゃなくて東の・・・
あーそっちか
どーすっかな
おーい

そーだ
おめェ
アルフォンスとか
いう奴と
知り合いだろ?
あいつもオレと
似たような
身体だから
そいつに
訊くといいぞ
ああ
あの鎧
やっぱりカ!
おーーい
よし
ちょっと
行って来ル!
何かあったら
信号出せよ
ランファン
ハイ
おーーい
行って
らっしぇい
おい!!
いいかげん
説明しろ!!
うっせーな
おめェの役割は
「留置所襲撃犯に
脅されて
ボロアパートに
監禁されていた
あわれな軍人A」だよ
はぁ?
俺
ここの家主
だよな…?
な?
そーだよ
あの…
シカト

やあ
エリザベス！
元気かい？
あら
ロイさん
いつもお電話
ありがとう
また
仕事中？
ああ
どうしても
君の声が
聴きたくなってね
お上手ね♡
でも
あまりサボると
こわ～い副官に
怒られるんじゃ
ないの？
大丈夫だよ
彼女は
今
休みだから
最近
仕事がひとつ
片付いてね
私の肩の荷が
軽くなったから
休みを取らせた
いいわね
私はしばらく
店に出ずっぱりで
家に帰れないかも
どうよ
あれ
ホークアイ中尉が
休みになったとたん
これだ
本当に
あの人
「お守り」
だったんだな…

ふつう仕事中に軍の回線で女に電話かけるかぁ?
どういう神経してんだ
私も中央に来てから休み無しだったからね
そろそろ休暇を取ろうかと思ってる
あら どこかへおでかけ?
最近釣りにはまっててね
一緒にどうだ
第37話
咎人の肉体

よく見たらいっぱい傷ついてる
ハードな旅してるのね
きゅっ
きゅっ
はは…
ごし
ねぇ
これからどうするの？

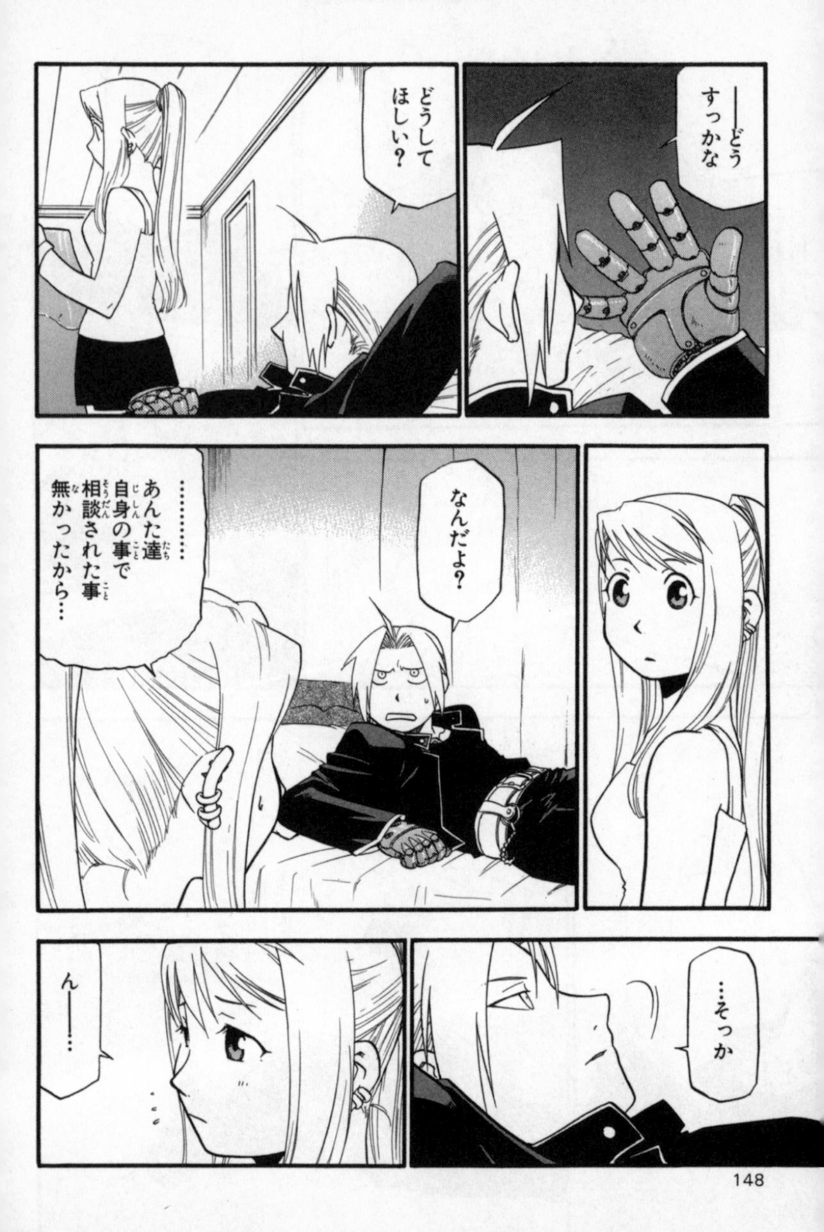

——どうすっかな
どうしてほしい?
なんだよ?
……あんた達自身の事で相談された事無かったから…
…そっか
ん———……

………怖かったよ
?
ヒューズさんが
殺されちゃうような
危ない場所で
エドもアルも
ずっと
闘ってたんだな
…って思ったら
すごく
怖くなった
だって
死んじゃうかも
しれないんだよ?
急に
あたしの目の前から
いなくなっちゃうかも
しれないんだよ?
そう思ったら
すごく
怖くなった
正直
旅をやめて
ほしいって思った
でも
アルが
元の身体に
戻るのを
あきらめるって
言い出した時
いやだ
…って
思った

これも正直な気持ち
元の身体に戻ってほしいけど危ない旅はやめてほしい…ってえーと………
…ごめん
あたしもどうしたいかわかんないや
ウィンリィはやさしいね
え!?
ななな何言ってんのよ
あたしはいっだってやさしいのよ!!
ガーン
ギャー!! やめてよ傷が増えるだろ!!
ココ
へいへいどちら様…
ガチャ

へ？
ドゴッ
ズザザザッ
いきなり何すんだよ少佐!!
ズン
ズン
ズン

むう!!
いかん!!
ガ
ばあ
え
機械鎧が壊れてしまったな!
これはいかん!!
うむ!由々しき事態である!
ばすん
すぐに直さねばならん!
ばすん
?
?
?
どれ我輩がリゼンブールまで送ってしんぜよう!
はぁ?
わざわざ帰らなくたってウィンリィがいるし……
なんだなんだ
なぁに遠慮する事は無い!
502
何?リゼンブールに帰るの?
おうアル聞いてくれよ…
502
おおアルフォンス・エルリック!

おぬしは目立つから中央にいるように!
え?
よおしすぐに汽車の手配だ!
スタ
スタ
行くぞエドワード・エルリック!
スタ
タスケテ
ズル
ズル
ズル
ズル
ズル
…………えーと…
あぜん
おでかケ?
にゅっ
ぎゃあ!!
ソ…リン!? どこから…
窓カラ

国家錬金術師なら
軍のホテルを
使うと思って
シラミつぶしに
探しちゃったヨ
あーしんど
ほら
一応
犯罪者だから
不法入国＆留置所脱走
げんなり
ボク達の
知らないところで
何があったんだよ…
だからって
なんで窓から
来るかなぁ！
バリー・ザ・
チョッパーから
話は聞いタ
君達
面白い事に
なってるネ
!?
そうだな
明日あたり
店に寄るよ
おみやげは
何がいい？
あら
ありがとう♡
ケイトにも
何かお願いして
いいかしら

あの子がんばってるから…
…っとごめんなさいロイさん
ケイト！お客様が来たわ
はいはーい
ジャクリーン呼んで来てくれる？
ジャクリーン
客が来ましたよ

……了解
ミシャ
ブッ
!!
…………
どうした?
…いや
ざわざわする
身体の感覚が無い奴が何言ってんだ
?
なんだこの臭い…

みし!.
……!!
カ!!

バリー!?
殺しちゃダメだぜエ!!
落ち着けよファルマン
こいつは…
どうなってんだくそっ……

おい
援護してくれ!
おい!!
うわ!!
他に
まだ居ル
他にって
……
うひ

当てんなって!!
当たらんって!!
すばしっこ
すぎて!!
ウウ
まだ他にって
どれ位?
10……20…
いや
それ以上
うそだろ!?
弾が足りん!!
突入されたら
終わりだぞ!!
大丈夫ダ
ひと固まりのまま
動く気配が無イ
う
う
う…
て言うか
その前に
この
ゴリラみたいな
奴を……
ドドドーン
ひ!!
来た!!
まだ
動いてないって
言ったって…
ドドドーン

…あっ!!
い…!?

味方カ？
コク
よシ
あっ!?
ここはまかせタ
ドカ
ドン
くん
!
タバコの臭い？
あ
ドン
ドン
ハボック少尉？
ピタ

おまえなぁ!!
なんのために
覆面してると
思ってんだ!!
これだから
現場慣れ
してない
奴はよぉ!!
あっ!
は!
すみません!!
悪いな
罠張ってるのを
気付かれちゃ
ならねぇと思って
連絡入れなかった
どこで待機
してたんですか!?
となりの
部屋で!
バリーが
留置所を
襲撃してから
だから…
三日前からか
毎日
仕事が終わったら
ここに直行だ
おかげで
デートも
キャンセル!
またふられたら
労災申請
してやる!
うお!!
ドン
バリー!!

ベキッ
がはっ
こいつ…??
なっ!!
外(そと)出(で)るぞ!
お…おう

しかし外にはまだ敵がいるかもしれないんですよ!
外だから大丈夫なんだよ!
ダダダダ
え?
それにしてもなんだあいつの体臭は…
…っと
ズン
ヴォオオオ
鼻がまがる!!
ドカカカ
ドカカ

ガチーン
詰まった!!
ヴォオオオオオ
少尉!!

ドン
オオ
ぎゃオオオオ
ドガガガガ
心配すんな
外なら大丈夫だと言ったろ
俺達には鷹の眼がついてる
ぎゃあああ
ガキン

大きな音がしたようだがどうした？
大丈夫よ
お客さんがジャクリーンにいたずらしたから少し叩いてやっただけ
君は相変わらず手きびしいね
エリザベス

店の方忙しそうだね
電話切ろうか
そちらこそお仕事忙しいんじゃない？
気にしないで
なぁに優秀な部下のおかげで楽してるさ
君のご主人がこんなに喋ってるの初めて聞いたよ
よぉーし大人しく…
…って
言葉通じるのか？こいつ
う…
ぐるる…

おい
嘘だろ
て言うか
やっぱり
オレの身体だ!!
なにい!?
へぇ…
奴らオレの肉体に実験動物の魂あたり放り込みやがったな…
ど…どういう事だ?
どうもこうも無ェ
肉体が"魂よこせ"ってやって来たんだよ

……ど…どうするんだ?
バカな事訊くんじゃねェ!! オレの身体だぞ!?
そ…そうだよな
おまえの身体だと言うなら元に戻…
てェ事はよぉ!!
オレはオレ自身の手でオレの肉体をかっさばけるってこった!!
世界広しと言えどもてめェの肉体を思う存分ぶった斬れる奴ぁいねェだろ!!
げはははっはははははは

ああ そういや オレが初めて 斬ったのは 女房だった
オレにゃ 不釣り合いな いい女だったさ
その時と 同じで 魂がざわざわ するんだよ！
どうしようもなく 魅かれるんだよ!!
斬っちまいてェっ てなァ!!!
わかるか!? わかんねーだろ!?
わかんねーよ!!
だいたい 元の身体に 戻りたいって 思うのが 普通じゃないのか!?

……あの身体 もう保たねェよ

さっきから してた 腐敗臭は これか…
ゴホ
オレの所有物を どうしようが オレの勝手だ!!
だめだ バリー 斬る事は 許さん
なんでだよ!! オレの身体だぞ!?
だめだ!! こっちにも 都合が あるんだよ!!
どうした?
………… ケンカかしら
お客さんと トラブルみたい
そういう 無粋な客には 早々にお帰り 願いたいね
本当に 嫌になっ………
──いけない
電話は またに するわ

上客が来てしまった
ジャキ

にぃぃぃぃぃ
どうした?
エリザベス
おい!
お・・・

……誰だ？

なんでここにいると一発でわかった？

貴様こそ何者ダ

中に……何人いル？

掲載・月刊少年ガンガン平成16年5月号～8月号

パァッ
!!
くそ…
間に合ってくれよ……!!
鋼の錬金術師9　おわり

FULLMETAL
ALCHEMIST

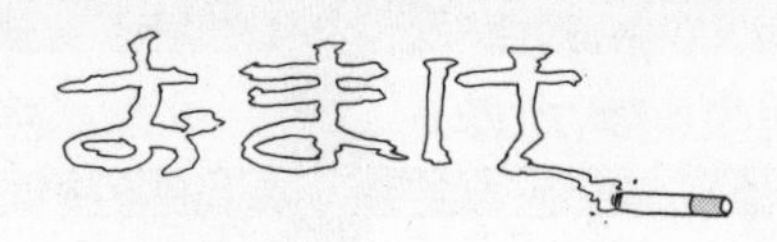

※うそ次巻予告

みっちり

根本的解決になっていない

鋼の錬金術師 9
すぺしゃるさんくす～

高枝 景水 さん
ひのでや 三吉 つぁん
杜康 潤 さん
弣 正成 さん
馬場 淳史 さん
あいやーぼーる さん
杉山 りか さん
高山 しのぶ さん
モリタイシ 先生

担当 下村 裕一 氏

AND YOU!!

ライフ ライン

生命線のばしといたのよ!!
わかんねーよ!!!

ハボック!!
しっかりしろ!!
……つとに女運悪ィ……
私一人で良い
もかも

この嫉妬の姿を見た奴は
ついにその舞台に姿を見せた、人造人間。その存在に戸惑い、恐怖する人間たち…。軍部VS人造人間!! 生き残るのは果たしてどちらなのか…!?
まどろみを破る鐘が鳴る…。
鋼の錬金術師
2005年3月発売予定!!
こうご期待!!
HAGANE no RENKINJUTSUSHI 10
第10巻
賢者の石よ
全て

ガンガンコミックス

鋼の錬金術師 9

2004年12月22日 初版
2005年10月1日 7刷

著 者 荒川 弘

発行人
田口浩司
発行所
株式会社スクウェア・エニックス

〒151-8544 東京都渋谷区代々木3-22-7 新宿文化クイントビル3階
〈内容についてのお問い合わせ〉 TEL 03(5333)0835
〈販売・営業に関するお問い合わせ〉 TEL 03(5333)0832
FAX 03(5352)6464

印刷所 図書印刷株式会社

Printed in Japan

ISBN4-7575-1318-6 C9979

↑実話

荒川先生9巻発売おめでとうございます。

少年ガンガン 月刊
GANGAN
毎月12日発売!!
鋼の錬金術師
●荒川 弘
好評連載中
好評連載中
まほらば
●小島あきら
月刊ガンガンWING
ウイング
毎月26日発売!!
月刊Gファンタジー
GFantasy
毎月18日発売!!
ぱにぽに
●氷川へきる
好評連載中
TVアニメ
ぱにぽにだっしゅ!
絶賛放送中!!
好評連載中
ドラゴンクエスト列伝 ロトの紋章
〜紋章を継ぐ者達へ〜
作画:藤原カムイ 脚本:映島 巡 監修:堀井雄二
ヤングガンガン
GANGAN
毎月第1・第3金曜日発売!!

今 気がついたシリーズ

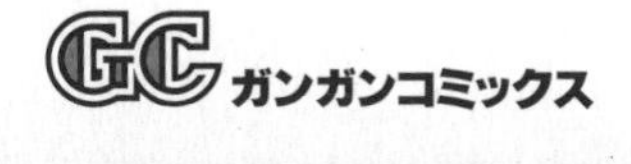

SQUARE ENIX.